아무도 그녀에게
바다가 되라
하지 않았다

아무도 그녀에게 바다가 되라 하지 않았다

발 행 | 2024년 02월 16일
저 자 | 한정림
펴낸이 | 한건희
펴낸곳 | 주식회사 부크크
출판사등록 | 2014.07.15.(제2014-16호)
주 소 | 서울특별시 금천구 가산디지털1로 119 SK트윈타워 A동 305호
전 화 | 1670-8316
이메일 | info@bookk.co.kr

ISBN | 979-11-410-7217-9

아무도 그녀에게
바다가 되라
하지 않았다

한정림 시집

차
례

1부 · 갈등 뒤섞인 공간 속에서

4부 · 무작정 길을 나선 적이 있다

\# 별책부록

1부
갈등 뒤섞인 공간 속에서

시 읽는 밤

밤새 속삭댄다
시가

사근거리는 두근거림
여름밤 열대야 더 끓는다
밤의 끝자락을 매만지며
사그라지지 않는 열병에 휩싸인다

그날 밤
밤새 시를 읽었다

창가의 커튼이 식혀야 하는 열대야를 위해
덜덜거리는 선풍기 바람에 끊임없이 흔들리자
흔들리는 것이 커튼인지
나의 눈동자인지

열병, 식지 않는다

일어나

아궁이에
불쏘시개를 넣고
후- 후-
깨어나라
깨어나라

타오르는 불꽃이
방구들을
덥히며
후- 후-

일생 한 번이라도
부축 없이
홀로 서서
일어나라
일어나라

태어나는 순간부터

부축 없이 살 수 없는
미물들의 일생
일어나라
일어나라

백채白菜*

예쁘게 머리 가다듬고
총, 총, 총. 묶어둔다

기다리는 것은 아름다운 것이라고
속삭이듯 일러주고
살짝 추위도 견뎌야 한다고
구슬려 가며 다짐받고
곧 데려가니 걱정 말라고
살살 타이르며
턱턱 막히는 숨 쉬라고
휴~ 함께 호흡도 하며
그래야 속살 뽀얗고 깊게 찬
백채白菜가 될 수 있다고

어르고 달래고 어르고 달래고
푸르게 피워내는
겨우살이의 꿈

―――――――
*백채 : 배추

Minimal life

책상 버리고
의자 버리고
라디오 버리고
습작 버리고
버리고 버리고
다 버렸다

무엇이 될 것 같아
쟁여둔 것들
언젠가 필요할 것 같아
쌓아둔 것들
추억이 깃들었다고
놓아둔 것들
그냥 버렸다

비워야 덮어두었던 것들
빈 공간 속으로 툭, 툭 튀어나와
숨겨둔 자아와 직면할 수 있고

바로잡지 못해 굳어버린 것들
부숴 버릴 기회가 생긴다

꽃,인 줄

흔들리는 창으로 스며드는 한기
무시하며 방치하곤 했다
오르내리는 온도 차로 까맣게 피어난
곰팡이, 향기 대신 악취 풍기는데

처음엔 남들이 꽃이라고 해서
꽃,인 줄 바라보고
나중에 알면서도 그냥 귀찮아서
꽃처럼 바라본다

속이는 말에 홀랑 넘어가는 것과
좋은 게 좋은 거라며 그냥 사는 것과
무엇이 더 안 좋은지
판단도 못하는 머저리로 사는 것 중
좋은 것은 아무것도 없었다

침몰되는지도 모르고
그냥 그렇게 사는 것은

아무것도 남기는 것이 없었다

까만 꽃도 지구상 어딘가 존재하지만
이건 아니니깐,
락스 스프레이로 쫙- 쫙-
박멸!
무식함과 무관심도 함께 쫙- 쫙-

침묵하는 일상

알고 있던 것들이
무참히 부서져
쓰러져 버린다
모르고 있던 것들이
불쑥 튀어나와
엉망이 만든다
흔들리는 것이 싫어
악- 쓰며
한 걸음 나아간다
악- 쏟아내
후회할지라도
입 다문 채 견딘다
아직 포기할 수 없다

아물 것이다
아문다고 했다
단지,
지금은 침묵이 필요할 때이다

별빛 아래서

20년이 지나도 좋은 옛 노래 들으며
인조 별빛으로 가득한
아파트 천장 밤하늘처럼 바라본다

까마득하기만 했던 밤하늘 배경으로
밤새 노래 들으며 거닐던 작은 시골길
그림자조차 없는 옛길이 초라한 것인지
홀로 서 있는 내가 초라한 것인지

노래조차 잠식하는 넘쳐 드는 풀벌레 소리,
함께 향연 하는 정의할 수 없는 감성,
정신없는 사춘기를 보낸다는 것은
스스로 이드*를 블랙홀 속으로 뛰어들게 했다

멀리서 한길만 바라보며 오는
올곧은 빛, 이젠 없다
소멸된 빛 속에 탄생도 사라지고 있다

인조 별빛 아래서
옛 노래만 들을 뿐,
이제는 LED보다 화려하지 않지만
희미하게라도 스스로 빛나는
별이 되길 바라게 되었다

---

*이드 : id. 라틴어. 자아·초자아와 함께 정신을 구성하는 하나의
　　요소, 또는 한 영역.

여명黎明 속으로

새벽 두 시
굉음 울린다
빛을 그리며 누비는
거리의 방황
끝 따위는
개나 주라는
청춘의 무모함
달린다 여명黎明 속으로
사라지지 않는
고뇌를 끌어안고

열지 못하는 문

원치 않은 타지 생활
길에 아는 사람 넘쳐났다

마음속 깊이 생기는
웅덩이 메어줄 친구 옆에 없다

문을 열지 않았다
두드리는 사람은
방판,
종교,
택배,
뿐이었으니깐

매일 아침 울리는
근처 마트 광고 문자 같은
두드림만 넘쳐났으니깐

있는 그대로의 모습

내보일 사람 아직 없다

오늘의 기도

한 분야에 뛰어난 사람이 될 필요도
수천만 팔로우가 있는 페북스타가 될 필요도
뛰어난 외모로 가꿔 시선 사로잡는 셀럽이 될 필요
도 없다

내가 무엇을 잘하는지
내가 무엇을 좋아하는지
내가 어떨 때 즐거운지
내가 누구와 함께 행복한지
내가 기꺼이 감내하는 것이 있는지
감춰진 심연의 소리에 귀 기울이면 된다

타인에 대한 지나친 관심을 쏟으며
나와 다르다는 이유로 질타할 필요도
엄청나게 대단한 사람이 되겠다고 애쓰지 말자
단지, 내일도 좀 더 멋진 나다운 사람이 되자

가을의 높이

단풍 들고
바람 늘자
시선 하늘로 간다

높이를 가늠할 수 없어
그저 아름답다 아름답다 하며
위만 바라봤다

바닥에 나뒹굴고 있는 낙엽
재미로 팍!팍! 밟는 소리 외면하며
한 귀 막고 지나쳤다

빛나고 절정이었던 시기 지나
낙落하는 것만이 일이고
멸滅하는 것만이 일이고
사라지는 것만이 일인 것은 안다

단지, 서서히 되고 싶었다

자연스럽게 조각조각되고 싶은데
자꾸 밟는다
가슴 꾹꾹 누른다
더 빛날 수 없으니 어서 사라지라고

아직은 아니라고 위를 본다
아직은 드높아질 수 있다고 말해본다

자연은 언제나 아름답다

밤새 내린 비로
도시의 가을은 더 깊어졌다

스산한 바람에
고인 빗물 일렁이며
구름인 듯 흐른다

빗물은 오묘하게
도시의 오물을 가득 품고
언제나처럼 흐르고 흘러
대지의 올곧은 뿌리를
조금조금씩 좀먹는데

가을은 다 잊고
아름답게만 바라보게 하는
위대한 힘을 발휘하고 있다

밤나무 할아버지

할머니 댁
마을 입구에
자리 잡은
밤나무 할아버지

추석이면 모인 꼬맹이들
신발은 할머니 장화 신고
머리는 양은 세숫대야 쓰고
올망졸망 출동

투두둑 투두둑 가시를 피하며
잘 익은 밤송이를 까다 보면
송편 익은 냄새가 가을바람을 타고
마을 입구까지 마실 나온다

보름달 뜨는 밤
마당에 지핀 모깃불에
밤 넣어두고 놀다가

뜨거운 밤 한 방 두 방에
눈퉁이 밤퉁이 되어도
까르르까르르

몰래 하는 맛

엄마 몰래 봤던 샤이니 왕자 주인공인 할리퀸 만화
아빠 몰래 마신 알딸딸한 20년 산 인삼담금주
친구 몰래 만난 기타 메고 다니는 첫사랑 교회오빠
신랑 몰래 먹는 외곽 카페의 바리스타 커피와 브런
치
아이 몰래 맛본 쌉싸름한 이탈리아 녹차초콜릿 아이
스크림
아무도 몰래 보며 얼굴 붉히는 19금 격정멜로 영화

소소한 일탈은 몰래 해야 제맛

혼술

오늘은 봄인데도 눈보라가 몰아쳤고
화창한 하늘은 순식간에 무채색이 되었고
상큼했던 마음은 한순간 일그러졌다
버스 안에서의 타인의 안부가
집에서 혼자인 시간을
더 춥게 만든다

지필의 시간

손톱 바스러지도록
종이 매만지며
입춘 지난 비 바라본다
겨울비인지 봄비인지
쓰다 지우다 쓰다 지우다
촉촉하지 않은 창 안에서
머리 물어뜯을 수 없어
손톱 물어뜯는다

남루한 창작 욕구의 사료思料로
퇴고되지 못한 시 한 편
숨쉬기조차 버거운 시간이 남긴
꾸깃꾸깃한 종이가 서글프다
곱게 펴 재활용함에 넣지만
다신, 나무가 되지 못한다

탓

뚫을 듯한 장마가 사라지니
찌를 듯한 폭염에 허덕인다

여름은 덥고 겨울은 추운 거라던
어느 스님의 말씀을
어이없어하며 넘긴 적도 있고

해도 해도 너무하다고
날 좋은 해외로 이민 가자
우스갯소리 남발한 적도 있고

지붕 있으나 마나 웃풍에
얼어버린 아이의 볼 만지며
지랄 맞은 사계절이라 한 적도 있다

계절은 그냥 본연의 모습으로
시간을 올곧이 채우며
제 할 일을 할 뿐인데

무엇 하나 충만하지 못해
픽- 바람 빠지는 풍선 소리 따라
쭈글쭈글한 일상이 던져지지 않아
무엇이든 계절 탓한다

덮을 듯한 폭설 가면
깨질 듯한 한파 다시, 온다

완벽에 대하여

푸르스름한 구름 낀 하늘이 좋다
불그스름한 노을 진 능선이 좋다
단풍 들다 만 낙엽의 울림이 좋다

분명하지 않은 색들의 향연
갈등 뒤섞인 공간 속에서
이울어져 가는 모호한 절정이 좋다

원래 그런 것이다
완벽하지 않은 것들의 몸부림이
극명하게 맞아떨어지는 소실점보다
채워주는 순간이 더 많다

홍고린엘스*

바람결에 퍼지는 모래의 노랫소리
석양이 지평선까지 태워
인간의 눈으로 분간할 수 없는 어둠 속에서
끝없이 펼쳐지는 별들의 긴 여정

우주의 이야기 알고 싶어
미지의 동화 속으로 들어간
사막의 앨리스가 되자

의지와 상관없이 흔들리지만
예측할 수 없는 모험만으로도
끝없는 여정을 헤쳐가기에 충만하다

눈앞에 보이지 않는다고 해서
존재하지 않는 것이 아니고
아직 밝혀지지 않았다고 해서
진실이 아닌 것이 아니다

어둠조차도 감출 수 없는 진실
알 수만 있다면 얼마든지
낙타의 골짜기에 온몸을 던지며
사막의 노래 속으로

---

*홍고린엘스 : Khongoriin els(몽골어). 몽골의 고비사막.

2月

친구의 죽음을 처음 맞이했을 때
마지막은 시작한 순서대로가 아니라는 것을
죽음에 대한 일반적인 편견은
살아가기 위해 걸어둔 자기 최면이라는 것을
막을 수 없었던 행렬이 이어지는 동안
알고 있던 친구의 모습이
모르는 사람들의 모습 속에서 겹쳐서 걸어왔다

하나.
하나.
걸어와서
서.
서.
히.
걸어 나갔다

정리되지 않을 것 같았던
얽히고설킨 신발들조차도

조.

용.

히.

사라졌다

마치,

이제는 없다는 것을 받아 들라고

예측할 수 없는 길이의 속도 속에

허용된 짧은 찬란이

고.

요.

히.

잠들었다

그 순간,

모든 것이 허무했다면 어리석은 생각일까?

떠난 자와 남는 자만으로 구분되는

사각의 공허한 행렬 속으로

내내 생글거리며 웃던 얼굴이 갇혔다

2月, 채 가기도 전에
알고 있던 모든 것이 아득해졌다

폭염주의보

보이지 않는 것이
사람 목을 조른다

보이는 것에 연연하는 미생은
호우주의보가 더 낫다

잠식

땅거미가 기어 나오는 시간이 되면
털어버리고 싶은 것이 한가득 떠밀려 온다

털어야 하는 것도
털리는 것도
한 톨 한 톨 다 사연이 있어
밤마다 밀려오겠지만
보이던 보이지 않던
매일매일 털어 버려야 한다

미루다 보면
어느 순간
감당할 수 없는
더미로 장악되고
발 디딜 틈 없이
잠식될 테니

구렁텅이

더러운 것은 결국 모이고 굴러 떨어진다
오장육부에서 발생하는 오물이 쏟아지듯이
내장 속에서 풍기는 분비물이 내뿜듯이
오역五疫 춤추듯이 결국, 굴러 떨어진다

더러운 굴레는 무한궤도처럼
제자리 쳇바퀴로 돌고 돈다

불신 지옥 구렁텅이 속으로 기어들어 가자
어제도 기어들어 가고
오늘도 기어들어 가고
내일도 기어들어 가자

아귀다툼하고 밟고 비명을 내질러도
결국, 내일도 구렁텅이 속에서 눈을 뜰 것이다

매일매일 반복되는 생으로

똑, 똑, 똑…

머리끝까지
출렁출렁
흘러넘치기 직전
똑, 똑, 똑…

작은 노크지만
그 낮은 울림만으로도
고요해지는
보이지 않는 손 내밀기

인사 속의 숨긴 속마음
'옆에 있어 줄게.'
똑, 똑, 똑…
– 같이 밥 먹을래?

그런 시절

눈길 한순간 찡그리기도
손길 한 동작 쳐내기도
멈칫멈칫 머뭇거리는
원치 않아도
쌓이고 쌓이는 날들

하늘조차도
악을 쓰듯이
비를 쏟고 나서야
청명한 낮일 수 있는데

마른 비 맞는 땅 마냥 쩍쩍 갈라져
푸르뎅뎅하게 슬픔이 말라붙어서
떨어지지 않는
떨쳐내기 힘든
독 같은 날들

2부

무엇을 주어야 할지 몰라

그네를 타고 싶은 어른에게

내가 내 아이만 할 때
여자에게 잘 보이려고
타던 그네에서 내리라고 했던
큰 손을 가진 그 남자는
그 여자에게 장가를 갔을까

그네를 강제로 세우던 힘으로
얼마나 많은 약자들을 괴롭히는
썹지근한* 어른이 됐을까

기어들어 가는 소리로 싫다고 하자
알아들을 수도 없는 쌍욕을 하며
뒤돌아서서 빡빡 담배로 압력 피운
그 사람의 아이도 그네를 타고 있을까

내 아이가 그네를 탈 때마다 떠오르는
괴상하게 간직된 우악스러운 손길은
어린 자식의 그네를 빼앗으려는 모모某某에게

순순히 내어주라 가르치고 있을까

---

*썹지근한 : 방언. '끔찍하다'의 방언(제주).

생강꽃

향도 맛도
달콤할 것 같은
생강꽃이 피면
봄이 온다

눈으로만 먹을 수 있는
타닥타닥 캐러멜팝콘
봄이라고 달콤하기만 하겠니?

켜도

현관문 들어서자마자
팅!
센서 등 켜진다

철옹성같이
닫아 놓고
괜찮은 척
들어선다

문지방을 넘자마자
외로움을
고단함을
서글픔을
외면한 채
탁!
스탠드 불을 켠다

환해지지만

따뜻해지진 않는
공간 속으로 숨는다

맥문동

보랏빛
피고
우수수
지면
바람도
낮게
부는
가을 속
아무도 모르게 맺힌다

맞아 주지 않는 피움
홀로인 시간 채워야 한다

눈 쌓여 가려져
까만 대만 보이는 겨울
견뎌야만 다시 필 수 있다

낮게 피는 꽃이 더 구슬프다

그녀도 꽃이었다

찬바람 가르며 오른 새벽길
쏟아지는 별빛 주체 못 하는
밤길 돼서야 도착해도
팔팔 끓는 솥단지 아궁이 쑤시며
마당 밖으로 욕지거리 던지는
그녀도 꽃이었다

지나가는 기침 소리에도
천둥같이 움찔대며
손자보다 고이 기르던
씨암탉 목 비트는
싸리나무 같이 매서운 손끝도
한때는 여린 고사리였다

분단의 아픔은
문지방 들이치는 장대비에도
다시 일어서는 억새로 만들었고
방구들 식힌 지리멸렬支離滅裂한 가난은

뽑아도 뽑히지 않는 잡초로 만들었다

꽃이었던 기억은
서녘의 긴 그림자로 허리춤에 동여매고
흙더미 파헤치고 파헤쳐
견뎌냈지만 흔적조차 없고

구절양장九折羊腸 갉아먹는 해충 한 마리
박멸 못 하고
어두웠던 시대와 함께
바다가 되어버렸다

가뭄

아끼지 말았어야 했다
감정도 표현도
능숙하지 못한 몸뚱이조차도
아끼지 말았어야 했다

지나버린 여름
경경哽哽한 모든 것이
메말라 찢어지고 나서야
바스러뜨린 마른 풀잎 되어
보내고 말았다

지난 것은 그런대로
살아질지 알았지만
아무것도 남지 않은 껍데기만
가을바람에 나뒹굴었다

무엇을 주어야 할지 몰라
메마름 속에 살게 한 것을

갈증을 실감하고 나서야
후회한다
후회하고 말았다

길

꽃잎 떨어졌다
꽃 시들고 있어서
작은 손길에도
떨어져 꽃, 길 되었다
꽃 시드는데
꽃길이다

사랑 타령

- 자기, 할 말 없어?
- 어? 음… 사랑해.
- 매일 해 줘야 해!
- 알았어.

며칠 후
- 자기, 할 말 없어?
- … 사랑해.

또, 며칠 후…
- 자기, 아직도 나 사랑해?
- 그럼. 그런데 정말 매일 해야 해?
- 응, 죽을 때까지!
- 휴 ~~.

나를 열받게 하는 것들*

들어서는 현관
뒤집어진 어수선한 신발 나부랭이들
거실 바닥을 기어 다니며
새끼 치는 과자 부스러기들
빨래 바구니 옆에
쾨쾨한 냄새 풍기는 옷가지들

구겨진 일상을 종종걸음으로
반듯하게 펴고 다니지만
무참히 망가트리며 돌아다니는
파리 같은 만행들이
넝쿨식물처럼 칭칭 옭아맨다

뽀송뽀송한 베개를 베고
거실 바닥에 말없이 밀착한다
흡수되어 바닥재로 존재하면
성가신 것들을 방관할 수 있을까?
띠. 띠. 띠. 띠.

현관문 소리에 어 기 죽 어 기 죽 일어선다
- 밥은?

*안도현 「나를 열받게 하는 것들」 P66 『외롭고 높고 쓸쓸한』
 문학동네 1994.

그때

냉장고에 얼음이 가득할 때
쓰레기통이 텅텅 비었을 때
빨래 바구니 안에 양말 곱게 놓여 있을 때
수건이 수선 걸이에 반듯하게 걸려 있을 때
신발이 제짝 옆에 가지런히 있을 때
주말 오후 가끔 짜파게티를 해 줄 때
그럭저럭 요리 맛있게 먹을 때
한적한 늦은 오후 산책길,
내 어깨 위 가방을 가져가며
팔짱 끼라고 팔 내밀 때

.
.
.

이 모든 것은
그때.

그때

잘게 썬 양파 기름 두른 프라이팬에 달큼하게 지글지글 잘 풀은 노란 계란 넣고 고들고들 밥 함께 골고루 익힌다 마지막 들기름 한 숟가락 휙 두르고 한 그릇 식탁 위에 내놓았을 때!

주방 창 너머로
지는 서녘 붉은빛이
작은 커피잔 속으로
그림자를 드리울 때

걸치고 있던 앞치마를
늘 같은 자리에 걸어두고
소파 위에 털썩
피곤함을 내려놓을 때

그때 서야 내가 된다고 생각하지만
아직 끝나지 않았다
어쩌면 온전한 나 자신으로

어느 한순간 마주하지 못하고
눕힌다 하루를

하지만 그 순간순간이 쌓여
하나가 된다고 생각하고 눕는다
그렇다고 하자

사랑보다 정보다 의리

두통과 소화불량과 몸살이 있다
천둥 같은 소리에 선잠이 깼다

10년 동안 옆에 있으면서
사랑의 달콤함은 방귀 냄새로 날려버리고
애틋한 정도 트림으로 식히더니
이제 숨소리만으로도 숙면까지 소멸시킨다

이명을 더 신명 나게 하는 숨
삶을 연명하는 소리와 박자만으로도
겨우 붙들고 있는 이성의 끈은 끊고
말랑말랑했던 감성은 딱딱하게 만든다
신통한 재주다

살아갈수록 뚜렷해진 생존본능으로
사라져 가는 식욕을 겨우 부여잡고
부엌으로 나왔다
이제는 정도 아니고

의리로 사는 것이라며
매 순간 확인 사살하는 작자가 사다 둔
생크림 카스텔라를 푹푹 퍼먹는다

의리가 정보다 사랑보다
더 폭신폭신 달콤할 때도 있다고
말라비틀어진 감성이
이성의 인정으로 넘실넘실 넘어간다

오늘은
두통이 있고 소화불량이 있고 몸살이 있지만
으리으리한 코골이가 인정하란다
이상한 행복도 있다는 것을
계속될 것이라고 장담은 할 수 없지만

엄마의 생일

주부가 된 후
내 생일 미역국을 내가 끓여 먹다가
그것도 그만둔 지 10년

우연히 생일날 가게 된 백반집
좋아하는 미역국 자반고등어
엄마 손맛 아니어도
'이 맛이야.'하고 눈물과 함께
짭조름하게 먹는다

엄마는 미역국을 드셨을까?
멀리 살아 일 년에 겨우 두어 번 보는
엄마의 생일 미역국은 엄마가 끓였을까?

다육식물

오늘도 살생을 저지르고
완전범죄를 위해
증거인멸을 하고
쓰레기봉투를 동여맨다

버려지는 것은
인생 다반사라고
스스로 속을 누르며
똑같은 새 식물을 심는다

죽지 않았다고
그대로라고
예전 그대로라는
자기 최면

아이에게는
알면서도
속아주는 따뜻함이

생겨나라
생겨나라
여전히 주문을 거는 중

화장을 하며

나는 매일 화장을 한다
아이와 신랑은 민낯은 싫다고 했다
화장을 해야 외출을 허락하겠다고
화장한 얼굴만 이상형이라고
이제 민낯의 보호자는 없다

민낯으로 나선 외부공간은
나일 수조차 없다
자궁 속에서 나온 태고가 되어
오로지 혼자가 된다
혼자인 삶이 무서워 화장을 한다

피부를 하얗게
볼은 생기 있게
입술은 촉촉하게
눈은 선명하게

낯선 공간에 불시착되어

혼자가 되었을 때
주민등록 사진과 흡사해야
알아볼 수 있기에
나는 매일 화장한다

그 말

아름답다 말했다 모든 것이
아니라고 말했다 더 이상은
흔적 없이 순식간에 사라졌다
찬란했던 우리의 순간들이

아무것도 물어보지 못했다
왜 우리의 영원이 끝났는지
그 한마디조차도 사라질까
할 수 없는 물음으로 끝났다

성묘 가는 길

노인이라기엔 젊고
아줌마라 하기엔 늙은 엄마는
당장은 알 수 없는 말들을 하곤 한다

어 기 적 어 기 적
성묘 가는 길 입구에서
허리춤 부여잡고 들어서며

두 발로 걸을 수 있을 때
이산 저산 원 없이 다닐 걸
산속에서 울고 있는 새 한 마리
돌아가신 외할아버지가 환생한 것 같은데
보고 싶어도 갈 수 없어

중턱에 있는 산소
성묘 한번 가는 길인데
곱이곱이 고갯길 같아
무릎이 탁탁 꺾인다고

당장은 알 수 없지만
듣기만 해도 아린 말들을 하곤 한다

잘 몰라서 미안

어여쁘다 듣지 못해
어여쁘게 말해주지 못했다
고운 손길 쓰담쓰담 받지 못해
위로받고 싶은 상처
아물게 하는 방법 몰랐다

책임지고 사는 시간만 살아내느라
마음은 챙기지 못해 말라가고 있는 줄
미처 몰랐다 아니, 알 수 없었다
사랑도 배워야 하는 것이기에

배우게 되면 알게 될까
너의 작은 신호들
알아차릴 수 있을까
오늘도 잠든 너의 얼굴에 입맞춤하면서
낮 동안 너의 눈동자 응하지 못했는데

알게 되었다

마주하고 이야기 듣지 않았고
앉아 식사 끝나길 기다리지 않았고
나란히 서 손 포개 잡고 걷지 않아서
앞으로는 내내 후회하고 살게 될 것을

그래도 아침이면 향해 웃어준다
마음에 안 드는 사소한 문제 재잘거린다
"엄마는 몰라도 돼."라고 하지 않는다
그래서 '아직은, 아직은' 하게 해 준다

그런 사이

못난 사람이라는 것을
여지없이 알려주는 존재가
바로 옆에서 숨 쉬고 있다

미치게 만들기도 하지만
미치게 사랑한다
짝사랑당하다가
짝사랑하기도 한다

서투른 바이올린 선율 깽깽거리자
한숨 섞인 타박 하며
이런 것이다 저런 것이다
단정 짓고 강요하며 안도한 적 있었다
이젠, 조용히 기다린다

어쩌면 엇박자이고 거슬리는 것들이
이미 정해진 것들보다
갸륵히 채우며 흘러간다

정해진 것이 없는 그런 사이
인정하다 부정하다 웃어 버리며
싫은 반찬 살며시 밀며 잔소리 참는데
잔소리스런 투정 하며 먹는다

투병

아직 엄마 손길 필요한 아이
알아서 일어나 등교 준비한다
미안한 마음 잠결에 삼키고
부실한 아침 겨우 챙겨 먹이고
배웅하고 나서야
아침 먹고 약 먹고
잠들고 눈뜨면
오후 4시……

아픔은 모든 것을 잠재운다

아이는 냉장고 속 간식을 챙겨 먹고
학원으로 사라진 지 오래
식은땀과 싸우며 하는 저녁
시간은 잘도 간다
해지는 소리와 맞물려
아이의 밥그릇 긁는 소리가
아무것도 남지 않은

하루를 이야기한다

아픔의 시간은 모든 것을 소멸시킨다

가뭄

마주친 그 순간
용납받지 못해
마른 눈빛으로
응시했다 안녕을
먹먹한 마주침

미안했다
그에게만 특별했던
지난 시간을
뛰어넘어 주지 못해서
짧은 인사조차
미소로 답해주지 못했다

목마르게 한 원망이
짧은 인사조차
허락하지 않아
뒤늦게 울린다

가을

별과 별이 만나는 시간이 길어지고
겹겹이 붉어져 흐르는 산등성이가
이별을 만드는 이야기 속을 스며들면
스산하게 사그라드는 속도만큼
가을은 오면서 간다

잠시 머물러
넋두리 나눌 시간 없이
바삐 간다
어쩌면 그럴 시간조차 주지 않는
절정이라

더 좋을지도
더 그리운 지도
더 애잔한지도

노오란

아침마다 붉은 꽃에 뽀오한 향기가 내려앉는다

새벽을 알리는 수탉 소리 요란해도
가마솥 끓지 않는다
푸근한 밥 내음새가 그리워
참기름 조물조물 거리는 것이 보고파
부엌 뒷문을 힐끔거려도
부재에 의한 꽃의 침묵만이 흐른다

시들지 않는 노오란 짙은 향기 속에
본연의 색 사라진 꽃
실바람에도 쓰러질 것 같은
덜컹거리는 대문만을 바라보며
안방 구들장에서 시들어 가고만 있다

잠재울 수 없는 배고픔이
어둑해져만 가는 배고픔이
까치발을 하고 살강*을 달그락거리지만

부재는 굳어버린 소금 덩이로 굴러다닌다

---

*살강 : 그릇 따위를 얹어 놓기 위하여 부엌의 벽 중턱에 드린 선
반.

꽃 춤

사 브 작 사 브 작
바람에 춤을 추며
일어 나랑 말랑

숨 가쁘게 불어내고
애절한 손길에도
해찰을 떨며
애간장을 녹인다

따뜻해졌으면
불 싸질러 줬으면
마음속 아궁이만
새까맣게 그을고

깜빡 돌아서면
사르르 식어버린 연기와
희멀건 재투성이로
새벽 속을 휘날릴 뿐

자작나무 곁에서

자작나무가 왜 자작나무인지도 모르고
조경을 전공한다고 그 숲길을 지나며
싱그러웠던 적 없던 대학 시절은
빨리 마흔이 되고 싶다고 이야기했다

아침에 통학버스를 탈 때마다
뜨겁게 떠오르며 일렁이는 일출은
자작나무를 더 반짝반짝 빛나게 했지만
그 앞을 지나는 새내기들은
나가보지도 않은 사회에 찌든 채
알바 시간에 종종거릴 뿐이었다

저녁 통학버스 안에서
밤에도 빛내는 자작나무 숲을 바라보며
천 년 전부터 아름다웠을까
천년의 시간을 채워서 아름다워진 걸까
알고 싶어 하면서 한 번도 만날 수 없었던
청춘의 밤을 빠르게 달으며 귀가했다

IMF는 싱그러워할 대학생이
마흔 중년을 동경하게 하기에 충분하다
나라가 망한 청춘은 이미 아픈 지 오래인데
10여 년이 지나 아프니깐 청춘*이라니 좀 많이 늦었
다

---

*김난도 『아프니까 청춘이다』 쌤앤파커스 2010.

이별 소리

돌아서니 후드득 내린다
빗방울 소리인데
이별 같았다
마음이 갈 곳 없어
바닥에 후드득 흩어지는 줄 알았다

곧 사라지겠지
비 그림자
이별은 사라지지 않고
계속 후드득후드득 떨어지겠지

꽃비 내리던 날

꽃비가 내리다 창가에 맺혔다
괜스레 안쓰러워 만져보았다
차갑고 애처롭게 스러졌다

보드랍지도
향기롭지도
아름답지도
않았지만
가슴에 맺혀버렸다

회색으로 기억되던
청춘의 한 페이지가 있다
너와 함께 넘긴 그 페이지가
꽃비 내리던 날 잠깐 펼쳐졌다

아무도 없는

아침부터 남편과 실랑이를 하다
끓기 시작하는 국을 내팽개치고
핸드폰만 집어 든 채 나선다
– 어디가?
– 아무도 없는 곳!

종종걸음으로 올라탄 버스는
무성영화처럼 무채색으로 달리고
FM에서 흐르는 사랑 노래가 소음처럼 울린다
벚꽃 내리는 거리를 버스는 달릴 뿐이다

4月, 무심하게 흘러 벌써 지는데
갈 곳 하나 없는 찬란한 봄길
봄이 가고 있는 것이 싫어
나선 아침이라고 서성인다

아무도 없는 곳이 아닌
아는 사람 하나도 없는 곳으로

이해받지 못해도 좋으니
있는 그대로 괜찮은 곳으로
가고 있다고 걷는다
봄을 걷는다

잃어버리는 것이 일이 되었다

마시다 만 테이크아웃 커피잔은
단골 화장품매장에 두고
새로 산 립스틱은 세탁소에 두고
터벅터벅 집으로 오는 길
사춘기에 빠진 딸아이 만났다

집에서 신명 나게 혼자 춤추는 것이
일이 된 핸드폰 덕에
딸아이에게 아줌마로 전락한 지 오래다

간식 사러 들른 떡볶이 집
계산 마친 카드가 갈 곳 잃고 방황하다가
아이 손에 잡히고 안도한다

- 아줌마! 카드 좀 챙기시지!
- 괜찮아! 외할머니가 너만 안 잃어버리면 된다고 했
어~~.

그래…

이젠, 나만 안 잃어버리고 살면 된다

거짓말

프리미엄 도마를 선물 받고
엄마를 생각했다

도마 사는 돈도 아까워서
길에서 주운 나무토막 다듬어 쓰며
인생은 무에서 유를 창조하는 것이라고 했다

어린 나이의 주부가 된 엄마가
마흔이 넘어서야 화장을 시작하며
어린 소녀처럼 웃었다

워킹맘이라는 단어조차 없던 시절 보내고
환갑도 되지 않아서부터
허리로 자리보전하는 날들이
일 년이면 반이 넘었다

반짝반짝 빛나는 프리미엄 도마가 알려줬다
다 거짓말이라고

화장 안 하고 웃던 모습도
무에서 유를 창조하는 것들도
다 –
엄마의 척추 한 자락씩 잡아먹고 있었다

100%

아라비카 100%가 주는
강한 맛과 향에 길들여져
아라비카 + 로부스타 반반 섞인
새로운 커피를 시큰둥하게 바라본다

100°가 되어야 끓는 물이
100% 아라비카와 만나
선사하는 커피 향을 다시 맡으며
100%가 아니면 싫다 했다

혈연관계 과학적 증명도 99.99%인데
오다가다 만난 인연도
억겁의 필연일지도
거스를 수 없는 운명조차도
100%를 꿈꾼다

처음처럼 매일 만나고
같은 공간 같은 시간 같은 패턴으로

수많은 공유를 하더라도
늘 손꼽아 기다리며 설레고 싶다

있을 수 없는 일이기에
컨트롤할 수 있는
커피라도 100% 아라비카!

탓

남 탓, 하라는데
잘 되질 않는다
넌 참 좋겠다
탓할 게 많아서
내 탓할 수 있어서

어른이 되는 시간

아이는 자전거를 잘 탄다
아직 타지 못하는 엄마에게
어서 커서 태워준다면
쌩 – 달린다
커서 하루에 한 번
마주 보며 밥을 먹거나
아니면 안부 전화라도 걸어주면
감사하겠다

아이는 아직 차가 없는 빨간불에 선다
언젠가 세상살이에 지쳐
무시하고 싶은 것들이 생겨
무심하게 지나쳐도 된다는 것을
나쁜 사람이 되어도
뭐라 그럴 사람 하나 없다는 것을
알게 되겠지
늦게 오기만을 바란다

어른은
어른의 옷을 입고 살아가는 것뿐
아무것도 좋은 것이 없는데
제발 천천히 자라길
선을 넘는 타인의 질주가 예고 없이 들이닥쳐도
무작정 경적 울리면 안 된다는 것을
천천히 알게 되기를

아이는 자전거를 쌩 - 타다가
걸음이 느린 엄마를
아직은 기다려 준다

적당한 거리

넘기다 보면 넘겨질 줄 알았다
시작하면 다시 시작이 되는 줄 알았다
그건 아마도
알게 모르게 정해진 적당함처럼
버티기 위한 위로 같다

9月은 너무 멀고 11月은 너무 가깝다
가는 것은 매 한 가지인데
10月쯤부터 미리 아쉬워해야
소멸해 가는 것을 떨칠 수 있다

연속되는 흐름을 째깍대며 초 단위로 쪼개 써야
둥근 하나를 미리 단위로 네모지게 나눠 써야
지루함을 견딜 수 있고
잔인함을 버틸 수 있다

마지막의 마지막은 너무 특별해서
오히려 아쉽지 않고

적당한 거리의 한숨 쉬어가도 되는
넘기지 못해 머뭇거리는 손이
미련스러운 그런 마지막이
왠지 더 따스하다고 말해 본다

미지근한 온도

– 저 차 삼촌 차 닮았다.
– 아냐, 삼촌 차는 검정이야.
– 아냐, 빨강이야.
1년 전에 한번 본 차를
아이는 정확하게 기억하고 있었다

타인에 대한 기억
그것은 타인에 대한 배려
나의 일부를 내어주는 것
무관심이 부끄러워진 순간
그런 따뜻함이 좋아
아이의 손을 잡는다
찬란하게 쏟아지는 따스함
맞잡은 두 손이
파란 불을 따라 길을 건넌다

차가움을 미지근하게 만드는
좀 더 낫게 만들어주는

있는 그대로 좋아해 주는
최초의 존재
그런 존재로 우리는 만났다

어쩌면
너무 차가운 내게
적당한 온도를 만들기 위해
따뜻한 너를 보내주었나 보다

경계선에서

서른과 마흔
무엇이 다른 걸까?
어른이 되어야만 하는
숫자의 경계선에서
사랑마저도 어른처럼 해내야 할 것 같다

일상, 그 모든 것이
커튼을 관통하는 햇살같이
살짝 흐려지며
숨겨지고 감춰지고
회색지대로 들어서고 있다

수채화 같은 감성과
초현실주의 같은 이성은
둘러싸고 있는 명제 속 명사를
불확신과 확신의 조색 속에서도
배색할 줄 알아야
어른이 될 수 있을 것 같아

숨 막힌다

문득
어른이
바다 한가운데 화산폭발로 솟아난
섬 같다
차라리 화산재에 질식사하고 싶다

완벽에 대하여

분명하고 싶었어

흐린 세상 나불대는 바람 속에서
뿌리째 흔들리는 가슴 부여잡고
채워져라 채워져라
꽝꽝 매질한다

너는 너고 나는 나야

끝없이 소용돌이치는 아귀 속에서
고비마다 휘몰아치는 머릿속
선명해져라 선명해져라
꽝꽝 매질한다

경계는 존재하지 않아

분명하지 못하고 탁하게 변질되어
아날로그필름처럼 회전해도

내보일 것은 그것밖에 없다고
눈앞이 노래지도록
꽝꽝 매질한다

나는 나이고 싶었어

깊은 밤 - 이 별에 관하여

정해져 있는 물음표에
아무런 말 들을 수 없기에
별에게 묻고 말았다

깊이 빠져들었지만
영원하지 않다는 것이
빛나는 무덤으로 쏟아진다

삼월

얼음을 살짝 머금은 바람은
꽃비를 내리게 한다

따뜻해진다는 것은
마주 잡은 두 손을 잠시 놓고
꽃비 내리는 사이 멈춰 서서
렌즈 넘어 서로에게
미소를 피우는 것

그리고 따로 또 같이
사이를 채우며
같은 봄, 각인한다
봄, 같이 각인된다

방학

혼자 하는 1학기 마지막 등교
뜻대로 친구 사귀기도 힘든 나이
이제 10살,
마흔보다 무거운 가방이 버겁다

누군가의 모함도
까닭 없는 오해도
말보다 보이는 행동으로
풀어내면 되는데
연결고리는 톡, 톡, 톡.

싱그러운 여름
혼자 보낼 예정인 아이는
아이스크림 큰 통을 혼자 품고
신비로운 숲으로 여행을 떠난다

숲 속 친구들과
고양이 버스를 타고

우산 들고 하늘도 날아오르는데
비 오는 날 우산 씌워 줄 친구 하나 없어
장마 시작 전부터
비를 맞고 하교하고는
125번째 토토로*를 만나고 있다

– 메이*가 보고 싶어. 도토리 주머니를 받아도 심을
곳 없는 아파트는 언제 떠날 거야?
질문 속 질문의 의도를
모르는 척하며
머리만 쓰담쓰담
– 이번에는 요괴 마을**로 갈까?

---

*미야자키 하야오 일본 애니메이션 영화 『이웃집 토토로』 2001.
**미야자키 하야오 일본 애니메이션 영화 『센과 치히로의 행방불
   명』 2002.

하루

미안한 하루가 있다

아침, 눈 뜨는 것조차 미안한 하루
발을 땅에 딛고 일어나
먼지 일으키는 걸음 거리조차 부질없는 하루
차가운 머그잔에 물을 따르고
시커멓게 타들어 가는 목구녕
축이는 것조차 낭비인 하루
흐느적거리는 움직임으로
하찮게 요동치는 방망이질이 낯 뜨거운 하루
아침이 밤을 향해 달려가는
정해진 시간 내내
미련스럽게 밀려오는
이러지도 저러지도 못하는 하루

좀 먹은 하루가 지고 있다

그 속에서

아이는 매일 동그라미를 그린다
이상하게도
찌그러진 동그라미도
길쭉-한 동그라미도
기-상奇想한 동그라미도
꽃이 되고 별이 되고 달이 되고 산이 되고
결국엔 사람이 된다

이상한 동그라미들은
하루 종일
TV속에서 나오는
최신형 트랜스포머조차도
비길 바가 못 되는
변신에 변신을 거듭한다

하루 종일 거듭한 진화 속에서
총천연색 알 수 없는 동그라미가
무無에서 유有의 무無의 세계로 날아가

미지의 세계를 하루 종일 만든다

유형무형有形無形의 존재는
밤이 되어서야
아이의 머리맡에서 함께 잠들 수 있다

쓰담쓰담

익숙한 듯
무심한 듯
이모티콘 골라
위로를 보낸다

언젠가부터
글 조차로도
위로받지 못하는
일상의 리스트들이
움직이는 그림으로 펼쳐져
읽음만 남긴다

받았지만
체온은 없는
자동 쓰담쓰담뿐

잠금단추

작은 단추를 잠그며
단정히 단정히
빗고
털고
신고
잠겨진 단추
쓰담쓰담
오늘도 부탁해

여미고 여며서 감춰둬야
쑤셔도 퍼지지 않고
들춰도 보이지 않고
무차별 할취割取 당해서
상처 입지 않게

너덜너덜
안녕하지 못한 단추
미안~

그럼에도 불구하고
내일도 부탁해……

Wish list

제품 검색
상세 설명
최저가 선택
찜, 찜, 찜.

원하는 모든 것
손가락 까닥거리며
한도 없이 일사천리
장바구니에 담는다
click, click, click.

선택주문 후
'간편 결제하시겠습니까?'
'취소'
언제나 다음 기회에……

비 내리는 날

– 일어나.

물먹은 신문지처럼 축축해진 눈 비비며 아이는 일어
났다

– 비가 많이 와. 지각 안 하려면 서둘러.

창밖을 확인한 아이가 말했다

– 비가 오면 그래. 쓸쓸함이 밀려와서 외로워. 그래
   서 힘든 하루야. 비 오는 날은 슬픔이 내리는 날
   이야.

아이의 말이 납득이 되면서도 흐린 하늘만큼 멍해졌
다 이제 아홉 살

슬픔이라는 단어를 아는 걸까

비 오는 날은 비 좀 맞아도 된다 해도 아이는 슬픔
을 막아보려는 몸부림처럼 무거운 가방을 둘러메고 중
무장하고 나섰다

– 다녀오겠습니다.

– 차 조심해.

난 저런 몸부림이라도 한 적 있는가

창가에는 아이가 말한 대로 슬픔, 슬픔, 슬픔들이 맺혔다 슬픔이 슬픔과 하나 되어 더 크게 되기도 하고 그냥 홀로 스르르 흐리기도 하는 창가에서 아이의 뒷모습을 본다 쓸쓸함을 뚫고 가고 있었다

난 저렇게 거침없이 뚫고 나간 적 있는가

슬픔이 깔린 거리를 아이는 빠르지도 느리지도 않은 속도로 리듬감 있게 걸어갔다 아이가 꾹 닫은 문틈 사이로 슬픔이 내리는 소리가 새어 들어왔다 그 속에서도 아이의 걸음 소리가 들렸다

아이는 슬픔이 비라는 것을 어떻게 알게 된 걸까
아니, 슬픔을 어떻게 정확히 알고 있는 걸까

슬픔이 씻어버린 거리가 민낯으로 나를 바라보았다

타닥타닥

아들과 함께라면
뜨거운 볕 아래
타닥타닥
검은깨만 털어도 좋은
길도 없고
차도 오가지 못하는
오지인 그곳에
이제 그녀 잠들었다

익숙한 풍경을 따라
그녀의 향기 같은 바람이 일면
푸른 장대들이 춤을 추며
익숙한 소리로 스산한 인사를 한다

미워하고 미워하기만 했어도
가장 큰 보름달 뜨는 밤이면
그녀가 만들던 탐스러운 밀과蜜果 위
고소한 튀밥이 타닥타닥

가슴속에서 튄다

아버지의 연탄

고갯길 오르다가 만난 연탄 리어카
눈이 내리기도 전에 현관 앞
산처럼 솟은 연탄을 바라보며
온 동네 온종일 날랐던 연탄
이제는 때지 않아 오랜만이다

- 어르신 사진 한 장 찍어도 돼요?
- 그려!
환갑이 지나도록 광부를 업으로 사시고도
미안하다고만 하시는 아부지가
- 딸!
하고 부르는 소리로 들려왔다

굴곡진 인생만큼 굽어버린
까만 손가락 마디마디를
주머니 속에 숨긴 채
말로만 인사하시는 아부지의
따뜻한 품이 그리운 겨울

나도 모르는 사이에
리어카 꽁무니를 힘주어 밀었다

시를 쓸 수 없다

아이가 죽고 싶다고 말 한 뒤로
생生의 아름다움을 이야기하던 일은
만개 쓸모가 없어졌다

아침에 일어나 눈을 뜨고
'엄마'하고 불러주는 기적
하루라도 더 늘릴 수 있다면
이딴 개도 안 물어갈 시詩
쓰지 않아도 좋다

아이가 세수하고
"학교 가기 싫어."하면
그냥 "늦게 가."라 하고
"밥 먹기 싫어."하면
라면 끓여 주며
김치라도 얹어줄 수 있어 좋다

늦은 저녁 함께 산책하며

이 시간이 시詩보다
더 아름답다고
네가 시詩라고 작게 속삭인다

List

울음 한번 터뜨리고 나오는 순간부터
빚이 있는 채무자의 삶 속에서
해야 할 일들까지 생긴 삶

젖 빨기, 오줌 싸기, 똥 싸기…
요기까지만 본능
그 이후에는 죽어라 예습, 복습

국·영·수, 대학, 군대, 스펙, 취직…
여기까지는 필수
한다고 다 되지 않으니
중간 점검하시길

아무나 다하는 연애는 아니지만
원한다면 선택학습
결혼, 출산, 육아…

선택한다고 이뤄지지 않지만

끊임없이 시도하시길!

하기 싫음 말고!

4부

무작정 집을 나선 적이 있다

쓸쓸하고 싶지 않은 저녁

어쩌면 떨림 그 자체보다
누군가 옆에 있었음 하는
허전함을 채워주는 온기
그 온기가 없는 것을 견딜 수 없어
그 차가운 부재가 싫어서
우리 마주 보진 않아도
우리 같은 곳을 보지 않아도
등 뒤에서 전해지는 온도에 기대서
쓸쓸한 저녁을 따뜻하게 익혔는지도 몰라

사랑은 아직 아닌 것 같다고
담담하게 대답할 때마다
이것도 사랑이라고
사랑은 원래 형태가 없는 것이라고
온기 가득한 손으로 완강하게 깍지 끼는 너에게
사실 오래전부터 떨리고 있는데
허세 부리며 붙잡고 있었는지도 몰라

처음부터 온전한 마음이 아니었기에
채워가는 것도 사랑이라는 것을
더 모냥 빠지게 빠져들고 있으면서
미안한 마음 어떻게 내비칠 자신 없어
한없이 전전긍긍하고 있으면서도
그 아쉬움 거두지 못하고 있어
미안, 이것도 사랑이야

나쁜 커피

사랑하면 안 돼
하는 순간
이미 사랑은 시작되었고
한 모금 꼴깍
마시는 순간
이미 중독되어
오늘도 영혼을 판다
향기로운 자태
시꺼먼 속내를 뻔히 알면서도
변화시킬 수 있다고 나를 속여가며
한 스푼,
한 스푼,
빙~ 빙~ 빙~
젠장,
처음보다 더 황홀하다

나쁜 것들은 아름답다

편식

아침부터 먹기 싫은 것은 미뤄두고
빵 나부랭이나 뜯고 있자
- 그러니 부실해서 살겠냐!
한 소리 듣지만
- 냅둬! 이래 살다 죽게!
내질렀다

음식을 편식하듯
공부를 편식했고
사람을 편식했고
경험을 편식했다

닥,치는 대로 공부라도 했더라면
아니, 머리는 못 채웠더라도
무모한 청춘 끌,리는 대로 안으며
가슴이라도 채울 걸

먹으면 죽는 것도 아닌 것을 가지고

미친 듯이 거부한 시간의 잔재들이
살면서 가장 미치도록 갖고 싶은
한 가지조차 제대로 갖지 못하게 하는
돌부리로 내 앞에 우뚝 섰다
기필코 걸려 넘어지고 마는 돌부리로

배달의 민족

만 18세가 되어 잠깐 시험 보고
발급받은 2종 소형면허증

오토바이 탈 수 있으니
밤마다 빨리빨리
30분 안에 도착하지 못하면
오히려 배달비도 못 받고
밥값도 내줘야 하는
건당마다 간당간당
목숨을 매달았는지 모른 채
배달 음식을 대롱대롱 매달고
미래를 위한 희생이라며
빨간불을 건너도
중앙선을 넘어도
괜찮다고

당연하지 않은 것을 당연하게 강요하는
배달의 민족

생각보다 그렇지 않다

TV에서 한 번쯤 꼭 가봐야 하는 명소로 소개되어
떠나야 한다 그곳에 한번 가봐야 한다 하지만
생각보다 그렇지 않은 적이 더 많다

가기 전부터 바리바리 싸놓은 짐은
웬만해선 줄지 않고
도착해서 짐을 하나하나 풀다 보면
안 싸 온 것이 많아 불편하다
아쉬운 대로 풀어놓고 놀다 보면
또 쌓인다 한 짐 스트레스가

휴양은 뒷전인 아침나절부터
삼겹살 불타나게 지글지글
음주가 목적으로 변질된 사람들이
그때 이래서 네가 잘못했네 섭섭했네
소리소리 지르다 공권력까지 투입되지 않아
다행인 오후로 접어든
힐링을 위해 온 피서가

피곤의 나라로 가고 있는
풍경이 눈에 들어온다

생각보다 아름답지 않은 풍경
적당히 어색하게 꾸민 이국적 풍경
질서 정연한데 깨끗하진 않은
줄지어 서 있는 촌스러운 파라솔 옆
술 취해 바다 앞에서 자고 있는
아저씨 옆 아저씨 옆 아저씨 옆에
쓰레기가 바람결에 굴러다니는 것이
자연스러운 그런 풍경

보고 있자니 가관이라 여전히 눈살이 찌푸리게 되지
만
이상스레 매우 편하다
그 한가운데서 이상스레 잠도 잘 온다

먹통

한여름
에어컨 밑에서 할 일 없이 TV 보는데
팅-!
나가버린 전기

잠시 한 세기 뒤로 간 상황인데
살아본 적 없던 것처럼
먹통이 되었다

문득 전화하면 되는데
이모티콘에 의존하며 사는 이 시대가
더 먹통이라는 것을 알게 되었다

그때 너에게 전화를 걸어
목소리에 담겨있던 그 모든 감정을
있는 그대로 전했더라면
혼자만 남은 먹통은 아닐 텐데

아니면 한 시대 더 뒤로 가서
꾹꾹 눌러쓴 편지 한 통 보냈더라면
아직도 전하지 못한 이야기 속에서
먹통 같은 하루하루 보내지 않았을 텐데

한여름,
에어컨도 안 되는 방 한 켠에서
뒤늦게 쏟아지는 내 이별 같은
날 것의 더위를 맞고서야
먹통 같은 나를 보게 되었다

투영

버리는 것이 일인 적이 있었다
쌓여 있기만 한 수많은 것들을
쓰지 않으니 쓰레기라고 지칭하며
문밖으로 내보냈다

사느라 돈 쓰고
버리느라 돈 쓴다고
타박 받으면서도
끊임없이 끄집어냈다

어쩌면 버릴 수 없는
가슴속에 숨겨놓은 또 다른 나를
사물에 투영하며
버려야 한다
버려야 한다 했다

고칠 자신이 없어서
달라질 자신이 없어서

버리고 다시 시작하는
가장 쉬운 방법을 선택한 것을
한동안 후회하지도 못했다

나이테에 관한 대화

한 해 지나
나이테가 생겼다고 했다
원한 적 없었지만
시간이 지나는 대신
선명하게 채워지고 있다고

가면 오지 않는 것을
꾹꾹 눌러 담아
차곡차곡 모아두고
위안 삼고 있다고

차단

밥 딜런이 천국의 문*을 두드리는 동안
혼자인 시간이 필요하다고
문을 닫고 어둠 속으로 들어갔다

하느님과 예수님이 보우하사
조국과 민족과 집과 가족을 잃은
색이 다른 아이들을 모르는 척

보이는 것만을 보고
보이지 않는 3·8선을 그으며
묻지마폭력 같은 차별 속
아이들을 향해 난사하는
전쟁터 밖 총알을 비켜 가며

하늘을 가르며 오는
신실크로드 바이러스에
맥없이 죽어가는
인간의 무지도 잊은 척

공포영화에 등장하는 귀신같은 민낯을 보고
밤새 리플레이되는 비겁한 악몽이 버거워
하던 대로 여전히
차단, 차단, 차단.

---

*밥 딜런(Bob Dylan) 「Knockin' On Heaven's Door」 『Pat
Garrett & Billy The Kid (Soundtrack From The Motion
Picture)』 1973.

가을, 보내며

시간의 속도는 같다
단지, 가을의 속도만 다를 뿐

바람 곁에 흔들리는 단풍 보았니?
짧아지는 해 붙들고 핀 국화 보았니?
구름을 이고 있는 코스모스 보았니?

가는 것이 애달파 곱씹으며 보내고 있으면서
아니 그런 척 잘 가라고 인사한다

지금 가는 너는 다음의 너와 다르고
지금의 나와 그때의 너와 만나는 나도 다르고
매 순간마다 잊을 수 없는 유속 속에
끝내 넘실대는 미련으로
소매 끝자락 살며시 잡고
"잘 가, 꼭 다시 와야 해." 채근하며 보낸다

흔들리는 가을 단풍은 바람 곁에 있어

가을 국화는 짧아지는 해를 바라보며 피지
코스모스는 처연하게 구름을 이고 흔들리지

보았니?
지금이라도 꼭 봐!

짬

심오한 작가의 머릿속을 헤매며
보내기도 모자라는 전업주부의 짬

커피 한 잔을 타 놓고
한자로 된 주사主辭 읽기 위해
전자사전 뒤적이다
오래된 옥편 펼쳤다

한자에 대한 초등지식도 없어
잘못 인쇄된 활자의 점 하나에
짬을 채울 시는 산으로 가고 있다

울분의 시대 일제 강점기도 버티고
아픔의 시대 민주 항쟁도 겪고
망조의 시대 IMF도 이겨냈지만
백년대계百年大計는 정권마다 이름 바꾸며
연합고사 예비고사 학력고사 수학능력을 거쳐
점 하나 몰라 사전도 제대로 보지도 못하는

눈뜬장님 만들어 놓았다

시를 읽고 싶었지만
한자 공부를 하다가
식어버린 커피 마시며
끝나버린 짬

빚

쌓인다
밥 먹고
일하고
쉬고
싸고
자도

모든 마이너스의 순간이
확인 사살로 돌아와
아로새긴다 깊숙이

온 우주의 힘을 모아
올 리셋!
제로의 순간으로 돌아가고 싶다

세탁

바짓단 흙먼지도
피할 수 없는 빗방울도
설 녹아 질퍽한 눈도
어이없게 생긴 얼룩도
없었던 일로 하고 싶다

푹푹 삶아 빨아
햇볕 아래 바짝 말리고
먼지 한 톨 없이 탁탁 털어
빳빳하게 다림질하며
새것이 되라 새것이 되라

하루 종일 주문 걸어 만든
새것 아닌 새것을 입고
쌔것인 척 누빈다
활개 친 시간만큼 늘어나는 것은
남루해지고 어눌해지고 주름지고
다시 탁탁 펴도 다시

새것 따윈 될 수 없다

사라졌다고 생각한 것은 착각이다
착각 속에 살아가는 것이다
그럼에도 불구하고
매일 다림질까지 한다
아니, 해야만 한다
지워졌다고 착각이라도 하지 않으면
견디기 힘든 순간이 더 많다

친근한 부재

처음부터였다 선택권이 없는 결정권
정해져 있는 길을 선택했다고
선택하면서 살아왔다고
혼동시 하는 보통 사람들의 보통의 길

보통이 나쁜 것은 아니지만 좋은 것도 아니다
그것은 부재를 더 명확하게 만드는 가이드라인이며
모호한 삶 속에서 명확하게 쳐진 벽이다
편해서 찾다가 매일 먹게 되는 3분이면 마무리되는
끼니이며
넘쳐나는 인조당으로도 막을 수 없는 쓰디쓴 맛이다

지그재그의 길을 미친 듯이 걸어간들
구부러진 길을 중심축을 잡으며 넘어지지 않게 간들
징검다리를 조심스레 건넌들
뜨거운 아스팔트를 내 달린 들
그때마다 길은 정해져 있었고
선택의 부재만 언제나 불가결이었다

익숙한 패턴으로 결핍된 결정을 하다 보면
가슴 한구석 저릿저릿, 두근두근, 욱신욱신이
공감의 부재로까지 흘러간다

그리곤 친근하게 알려준다
책임까지 짊어져야 하는
끝없이 아래로 향하는
권리 없는 부재의 연속성을

Puzzle

테두리를 둘러본다
가장자리는 언제나 공략하기 쉬우니깐
견고하게 만들어진 테두리를 통해
혼신의 관찰력을 끄집어내서
센터를 향해 나아가야 한다

만들어진 것을 만들어 가야 하고
알고 있어도 새로 알아가야 하고
완성된 것을 다른 방법으로 완성해야 하고
수만 가지 다른 이야기를 들려줘야 한다

정해진 Ending.
멈출 수 없는 Play.
당연히 맥 풀리는 일인데
이상하게도 떨린다
한 조각 잃어버려
빈 곳이라도 생길까
모든 가짓수를 완벽하게 세어보아야 한다

잃어버린 조각 따위는 용납할 수 없다
매 순간 틀이 완벽하게 일치하는
순간만을 원하다
존재하는 모든 상황을
테두리 안에서 통제하고 싶다

빼곡하게 채워
온전히 완성되는 순간만을 위해

지지직 지지직

여름밤
귀뚜라미 소리가
해마의 표피를 긁는다

아무도 긁어주지 않아
묵은 곰팡이가 피어나고
장롱 속 나프탈렌 내 풍기는
식어버린 기억이
긴 여름밤 내내 들썩인다

곧지 않은 철길을 내달려도
별빛만 일렁이는 어둠 속에서 날아올라도
선船의 등불 하나만으로 망망대해를 헤집어도
두렵지 않았던 열정이 푸르게 썩어가는 중이다

매끄럽지 못한 LP판의 샹송이
밤새 빙빙 돌아가며 퍼지고
켜켜이 숨겨둔 책장 속의

오래된 연애편지를 읊조리며
사그라져 오지 못하는
불멸의 청춘을 기다린다

들어내고 싶다 해마를
뻗어나가는 아련한 잔상을
전두엽이 애써 부여잡는다
잠들지 않고 요동치는 여름밤만
지지직 지지직

동체動體

곧 사라질 빛의 향연을 바라보며
환상에 젖어버린다

산타할아버지는 전혀 상관없는
가짜별이 달려있는
크리스마스트리 밑 선물을 보고
존재의 유무 따위는 상관없는
모호한 세상 속에 살고 있다

여덟 살에 이미 알게 되었지만
세뇌된 머릿속은 원래 그랬다는 듯이
빨, 주, 노, 초, 파, 남, 보.
색을 나누고 있다

경계 없는 것을 정해진 틀 속에서
세고 세고 세다 보면
무엇을 보고 있었는지 증명할 새도 없이
허공 속으로 슥 –

허상인 것은 아니지만
잡을 수 없는 실재實在이기에
막연하게 바라보던
시선들이 방황하고만 만다

안도의 힘

안간힘으로 태어나
젖 먹던 힘으로 살아간다
밥심으로 버티다 보면
뱃심 좀 부릴 줄 알았다

힘, 생기기도 전에
사무실 구석 자리에
발언권도 없이
눈동자 굴리는 소리만 낸다

빠르게 변하는 21세기도
어느새 자라 버린 2세들도
사회적 이름에 따른 책임만 난무하고
개인적 이름으로 아무것도 남기지 못한 채
석양의 보랏빛을 향해
담배 연기를 내뿜으며
깊은 한숨을 숨긴다

어스름한 밤바람에
오늘도 안도한다
오늘도 잘 버텼다

여행의 추억

향만 맡아도 토할 것 같은
재스민차를 억지로 마시고
오성급 호텔 오래된 커튼을 열자
큰 공원 빼곡히 붉은 도포 자락들이
춤을 추듯이 열과 횡을 맞추고
바람을 가르며 무武를 이뤘다

향만으로도 질식하게 만드는 재스민처럼
무武의 정신으로 보이지 않는 것을 무찌르듯
현존을 갉아먹고 무無로 만드는
Made in China가 잔인하게
매일 새벽을 깨우곤 했다

오랫동안 재스민 향을 잊지 못하듯
춤 같은 무武의 자태도 잊히지 않았다
대륙의 붉은 바람은
기억을 가르고
바다를 가르고

하늘을 가르고
잠식된 공포로 이르게 일어나게 한다

공포영화의 예고 같은
재스민 향 따윈
다신 맡고 싶진 않다

흙먼지 속으로

도시에 산다는 것은 견디는 일이다
견디다
견디다
오장육부가 딱딱한 강철이 되면
귀소본능에 이끌려
고향으로 향한다

GPS 좌표나 친절한 내비게이션 따위는 없다
단지,
철새가 후진 못 하고
한 방향으로만 향하여
날개를 퍼덕이는 본능처럼
한눈파는 사이
지나가는 비행기에 한순간
생을 마감할지도 모른다는
막연한 공포심과 함께
떠나온 그 버스정류장에 선다

떠날 때와 한 치가 변함없다
단지,
버스를 향해 내달리던 패기와
흙먼지 먹으면 찡그리던 감성은
도시 속에서 사라졌다

녹슬어 어색해진 몸뚱이를 정류장에 앉힌다
아스팔트 매연 연기에 찡그려도
더 이상 주름질 여백도 없는 얼굴이
능선을 바라본다
마중하는 이도
반기는 이도 없는
고향 언저리에 걸터앉아
능선만 바라본다

허화虛華를 먹고살다가
허물어져 곱나들어
허기진 채 홀로 남겨졌지만

허허벌판이어도 고향 언저리가
훨씬 쉽다고 망각하며……

잉여라 말하지만

겁 많던 아이의 안녕은
길거리 히치하이킹이 되었다
머리 위에 곱게 자리 잡았던 레이스 리본은
멋진 히피의 춤사위가 되었다

긴 국도를 어슬렁어슬렁
걸음걸이가 껄렁하다고 해서
목적지가 아리송한 것은 아니다
갈 곳은 오래전부터 정해져 있었고
과정을 정하지 않았을 뿐

아무런 이유 없이 구르진 않다는 것을
길 위에서 작은 돌멩이와
같이 굴러야 알 수 있듯이
남들이 허투루 보냈다던
그 사소한 시간들이
잉여가치를 올려줄 것이다

길은 알아가면서 갈 수도 있는 것이다
잉여가 넘쳐나는 세상 속에서
잉여로 치부되는 것은
꺼질 줄 알면서 타는 촛불 같아 보여도
언젠가는 특별잉여가치가 될지도

신이 내게 타 준 커피 한 잔

누군가가 타 주는 커피를 마시고 싶어
무작정 집을 나설 때가 있다
내가 아닌 타인의 손길이
신이라도 되는 듯
위로 한 잔 필요해
낯선 공간 낯선 사람의 손길 원하고 기다린다
내 취향은 아니어도
자꾸 손길을 보내다 보면
익숙해진 듯 느끼다 보면
나의 취향이 되기도 하는
낯선 공간의 위로가
타인의 손길의 위로가
신의 위로라고 생각한
나의 최면은
어차피 지불한 값이니

최면 건 내 마음대로

붙박이장

책장을 넘기듯 알고 싶었고
커피를 마시듯 삼키고 싶었고
사진을 찍듯 남기고 싶었지만

익숙해져 버려
미동조차 없는
딱딱해진 풍경으로
전락해 버린 지 오래

선이 되고 싶었고
결이 되고 싶었고
울림이 되고 싶었지만
끝끝내 아무것도 되지 못했다

딱딱한 시멘트가 된 심장이
춥지도 덥지도 않은 공간 속에서
탈출하고 싶어 문밖에 섰지만
어디로 가야 할지 미동이 없다

높을수록 거센 바람 분다는 산으로 달려가고 싶다

이별은 소리 없다

그때 우리는 시간에 치이고 있었고
언제든 다시 돌아올 수 있을 줄 알았다

가던 길 멈추고 쉬어가기엔
지켜야 할 것들도
해야 할 일들도 너무 넘쳤다

다 지키지 못했고
다 해내지 못했고
결국 돌아가지도 못했다

다시 가보자던 그곳으로
돌아왔을 때
나는 혼자였고
왔던 길이 아닌
알지 못하는 먼 길로
떠밀려 돌고 돌아서였다

그때 쉬어갔더라면
우리 지금 어땠을까
함께였을까
가끔, 생각한다

꿈속에서

시를 쓴다고
미뤄둔 일상이
한해를 채웠다
시인이 되지 못한 채
또 보낸 시간

알게 된 순간
행복하고
좋아하게 되었다
피할 수 없는 교통사고처럼 와서
이루지 못하는 첫사랑으로 남아
표류된 꿈속에서 허우적거린 10년
글자도 모르던 아이가 자라
엄마의 습작을 같이 낭송하고 평가하며
가끔 답 못할 질문을 던진다
- 엄마는 커서 뭐가 되고 싶어?
- … 시인.

알아도 미뤘고
좋아도 포기했고
행복하지 않아도
다 그렇게 사는 것이라고
안주하고 살아온 내가
아이에게 꿈에 대해 답하고
이룰 수 있다고 할 수 있을까?

재능이 있어야 해
시간을 들여야 해
정성을 들여야 해
상투적 말들이 머릿속에서 부유할 때
- 그래? 그럼 엄만 꿈을 이뤘네! 와~

알게 되었다
이뤄지지 않은 것이 아니라 조금 돌아가는 중이라는
것을

_ 시인의 말 _

아픔의 시간이 지나면
바람의 언덕으로 갈 수 있을까?
아침이면 슬픔을 가리기 위해
거울 앞에서 화장을 해야만 길을 나설 수 있었다.

가고자 했던 길은 신기루였기에
흐르는 시간을 막지 않고 담담히 바라보게 되었다.

매일 마주하지 못했던 감정들,
늪처럼 토해내고 알게 된 민낯,
눈동자에 고인 채 웃게 되었을 때
시간은 나에게 손을 내밀어 주었다.

미워하기만 했던 아버지 故한기봉,
사랑하는 엄마 배정희, 오빠 한영호, 새언니 김민희,
언제나 사랑과 믿음으로 함께 해주는 남편 최영문,
아니 사랑할 수 없는 딸 최근녕에게
이 시집을 바칩니다.

2019년 어느 여름밤 韓靖林.

\# 별책
부록

1 _ 나 누구랑 결혼하는 거니?

"뭐 먹을 것 없어?"

퇴근하고 집에 들어선 신랑은 익숙하게 냉장고를 뒤진다. 나를 보자마자 먹는 것을 찾는 얼굴을 보니 저 사람이 드레스룸에 붙어있는 사진 속 그 사람이 맞는지 의문이 든다.

"내가 밥 주려고 결혼했니? 알아서 챙겨먹어. 서른여섯이면 다 큰 성인이거든~~~. 난 수업 가야 해!"

드레스룸 한쪽 벽에는 연애 시절 사진과 함께 프린트된 프러포즈 플래카드가 붙어있다. 처음엔 거실을 차지하고 있던 사진이지만 세월과 함께 구석으로 밀려나 추억의 한 부분이 되었을 뿐이다. 가끔 신랑 대신 내 볼멘 불평을 들어주는 한풀이 대상이 되었지만 처음엔 늘 바라보며 그 풋풋한 시절을 잊지 말자는 거대한 의미를 담고 있다.

사실 밥을 차리는 일이나 주방일이 힘든 것은 아니다.

내가 힘들지 않다면 남편에게도 자신의 밥을 차려 먹는 일이 그리 힘든 일은 아닐 것이다. 한국 남성들의 당연시하거나 그 당연시를 우리는 결혼 초기부터 배제하기로 했기에 스스로 할 수 있는 일은 스스로 하며 산다.

취업 후 자취 시절 만난 신랑은 일하느라 힘든 나를 위해 저녁상도 차려두고 새 반찬도 만들어 주던 자상한 사람이었다. 그런데 결혼하자마자 사기 결혼을 당한 것 같았다. 게다가 남녀평등 교육을 받고 더치페이를 외치며 지내던 내게 시댁은 갑자기 날아든 조선시대 체험 생활극 같았다. 결국, 결혼 2년째에 딸아이를 낳고 참아왔던 모든 것이 폭발해 버렸다.

퇴근 후 집에 들어선 신랑이 저녁을 달라기에 아이 좀 잠깐 보라니 짜증을 내며 툴툴댔다.

"왜 짜증이야? 내가 네 새끼 봐달라고 했지? 남의 새끼 봐달라고 했냐?"

울컥 내지르던 말이 생각났다.

9년 전, 결혼 준비를 할 때 신랑은 모든 것을 나와 어머니께 넘겨버리고 자신은 관객처럼 어슬렁거렸다. 경제적인 독립을 하지 못해서 나서지 못한 이유도 있지만, 대학 졸업 후 부모님으로부터 완벽하게 독립한 나로서는 매우 당황스러웠다.

식장을 잡는 일부터 시어머님과 삐걱거리기 시작했다.

"큰애 바쁜데 나랑 다니자."

모든 것을 당신 마음대로 하시려는 어머님과 무조건 어머님의 결정을 따르겠다는 신랑의 태도는 첫 부부싸움의 도입 부분을 예고했다. 같이 하는 결혼인데 모든 것을 신랑과 함께 결정하고 싶었다.

"내가 결혼을 너랑 하니? 어머님이랑 하니?"

격양되고 단호한 어투로, 차분하게 설득과 이해로 오랫동안 이야기를 나눴다. 차츰 우리는 서로의 입장과 바라는 것을 알게 되었고 다행히 어머님도 많이 배려해 주셔서 어릴 때부터 하고 싶었던 전통 혼례로 예식을 치를 수 있었다.

전통 혼례는 예식장의 번잡함을 피할 수 있었고 한복의 아름다움과 화려함이 식장을 화사하게 만들었다. <전통 혼례를 지키는 모임>의 신명 나는 축하식으로 볼거리를 풍성하게 만들었다. 아직도 신랑 친구들은 종종 그때 날리던 닭 이야기를 술자리에서 한다고 한다. 9년이 지난 지금까지도 시댁, 친정에서 가장 좋았던 결혼식이라고 칭찬을 듣고 있다.

보글보글 라면을 끓여 식탁에 한 상 차리고 신랑에게 온갖 생색을 부렸다.

"내가 라면하나는 기똥차게 끓이지? 수업 늦어가면서 끓인 거다~."

"오~~. 좋은데. 잘 먹을게."

"나 다녀올게. 다 먹고 상 치우고 자."

"알았어. 잘 다녀와."

신혼 초 빗자루질도 안 하던 사람을 집에서는 물론 시댁 가서 걸레질까지 하게 만든 내가 대견스러워 신나는 발걸음에 콧노래까지 절로 나온다. 처음에는 뒤통수가 따갑게 째려보시던 어머님이 세월이 가면서부터 청소에 이것저것 집안일을 잘 도와주는 아들을 더 반긴다.

결혼에서 가장 기본적이고 중요한 가치관의 문제는 어쩌면 결혼하겠다고 생각한 그 순간부터 우리 코앞에서 알짱대고 있었을 것이다. 당연시하거나 한쪽이 묵묵히 참고 넘기면 좋아질 거라는 생각은 문제 해결에 좋은 방법은 아니다. 상황을 악화시키고 곪아 터지게 할 수도 있다.

요즈음 아이들이 부모들이 다 정해준 대로 성장해서 결정장애가 있다고 하는데 신랑이 그랬다. 지금의 신랑은 알았을까? 그때가 자기 자신이 진짜 독립하게 된 시작이었음을.

우리는 아직 차가 없다. 하나밖에 없는 예쁜 딸아이의 옷도 대부분 얻어다 입힌다. 주말은 냉장고 비우는 날로

정해여 버려지는 음식이 없도록 한다. 냉장고가 텅 비어야 새로 식자재를 산다.

부부란 한쪽 다리를 묶고 함께 달리는 2인3각의 경주다. 한쪽이 욕심을 부려 힘의 균형을 깨뜨리면 안 된다. 함께 호흡을 맞추어야 하고 배려하고 즐거운 마음으로 끝까지 달려야 한다. 가끔 삐끗할 때도 있지만 그때는 한 박자를 쉬면된다. 서로 호흡을 맞추며 우리 부부는 오늘도 2인3각의 경주를 하고 있다.

2 _ 뜨개

나는 10년 차 전업주부다. 원해서 된 것이 아니라 생각보다 방황을 많이 했다. 결혼과 동시에 원치 않은 이사로 낯선 곳에서 적응도 모자라 산후까지 정말 남들 다한다는 출산 우울증을 앓지 않은 것이 더 놀라웠다. 친구들보다 결혼이 이른 나는 친한 친구에게 이런 말을 듣기도 했다.

"아이 키우는 것 정말 힘든데 넌 어떻게 한마디도 하지 않았니?"

처음에는 나도 방황하면서 적응도 잘하는 내가 이상했다. 한 번도 전업주부가 되고 싶다고 생각한 적이 없었기 때문이다. 오랫동안 왜 그랬는지 의문을 품었는데 그 답은 가까운 곳에 있었다. 나의 사랑하는 엄마이다.

내가 보아온 엄마는 전업주부인적도 있고 워킹맘인적도 있었다. 지금 보다 어려운 시대를 살아가면서 정말 아무것도 없는 상황에서 아빠를 만나 가정을 이루고 지금까지 살고 있다. 엄마는 가끔 힘들어하기도 했고 다 끝내고 싶다고 했지만 포기하지 않았다. 엄마는 언제나 최선을 다했고 나는 포기하지 않은 엄마에게 지금도 감사하다.

나도 출산 후 일을 시작한 적이 있었다. 하지만 건강에 무리가 되어 119와 응급실을 자주 가게 되자 남편은 돈보단 건강이라며 집에서 아이를 키우길 원했다. 나는 직업은 결혼 2년 만에 정말 한 번도 생각해 본 적 없는 전업주부가 되었다.

남편은 한 번도 내게 '집에서 논다.'라고 말하지 않았다. 오히려 이런 말은 전업주부생활 후 주변 지인 여자들에게 더 많이 들었다. 연령에 상관없이 골고루! 정말 아이러니하다. 뉴스에서 보면 대부분의 직장 여성들이 집으로 재출근하는 것 같다고 하면서 오히려 전업주부의 직업을 인정하지 않는 것이. 나만 그런 생각을 하는 것일까?

어쨌든 한 번도 들어보지 못한 말을 처음 직접적으로 한 사람은 시어머니다. 가끔 주변 동네사람들이 직장인이냐고 물었다. 그럼 당당하게 말했다.

"아뇨."

"그럼 놀아요?"

"아뇨. 전업주부인데요."

하던 이상하게 이어지던 대화 따위는 애저녁에 없었다. 바로 결론! '논다.'였다. 갑자기 밀려왔다. 쓰나미 같은 혼란이…… 출근했던 신랑은 아무것도 모르고 집으로 돌아와 시어머니가 남기고 간 시한폭탄을 여지없이 얻어맞고 눈치전쟁이 시작되었다. 게다가 아이는 시어머니가 남기고 간 영향으로 내게 집에서 논다고 말하게 되었다.

예고 없이 상처받은 나는 또다시 방황이 시작되었다. 가끔 살기 싫다고 하면서 엄마가 말하던 것에 빗대어 말하자면 '최 씨라면 이가 갈린다.' 수준으로 순식간에 극심하게 악화되었다. 너무 슬픈 나는 파업을 선언했다. 남편의 밥, 세탁, 그 밖의 대외적으로 나에게 맡긴, 예를 들면 은행업무 같은 그런 것들을 이주일 정도 하지 않았다. 아이까지 챙기지 않은 것은 찔려서 아이만 챙기는 생활을 2주 정도 이어가다가 신랑이 시댁에 전화로 한바탕 하고 나서 전쟁의 서막은 내렸다. 나중에 생각한 건데 아이러니하게도 시어머니는 '김 씨'였다. 난 엉뚱한 곳에 화풀이를 한 것이지만 이상하게도 시원했다. 나중에 생각해 보니 화풀이라도 하지 않으면 방황이 어디로 흘러갈지 나 자신조차도 감당할 수 없었을지도 몰랐기 때문인 것 같다.

이런 사태의 여파로 마음의 안정을 찾기 위해 신랑의 권유로 예전부터 배우고 싶던 뜨개를 배우기로 위해 문화

센터에 갔다. 신청하고 갔더니 신입회원으로 나와 총각회원이 왔다. 게다가 이 남자회원은 도구 부자다. 모든 수강생 중에 뜨개바늘이 가장 많았다. 들어서는 순간부터 수군수군하던 것이 웅성웅성으로 바뀌더니 '어떻게 오게 됐냐?', '많이 해 봤냐?' 등등 끝도 없이 질문이 이어지고 결국엔 '남자가 뜨개라니'라는 말까지 나오자 마주 앉아 있는 내가 더 민망해졌다. 순간 그동안 쌓인 울분이 툭 튀어나와 버렸다.

"그런 생각 역차별이에요."

속은 시원했지만 일순간 조용해지고 아무도 나에게 다시 말을 걸지 않았다. 종로에서 뺨 맞고 한강에서 화풀이한 것 같기도 했지만 생각해 보니 맞는 말 같은데 오히려 미움받는 것 같아 기분이 더 나빠졌다.

억울한 기분에 신랑과 이 웃픈 사연을 이야기하다가 오히려 양성평등으로 가는 것을 막는 것은 '나를 포함해서 여성들이 더 많이 하고 있는 것은 아닐까?'하고 생각했다. 전업주부인 며느리는 싫으면서 살림을 도와주는 아들을 마땅치 않아 하는 시어머니들, 전업주부를 집에서 논다고 말하는 워킹맘들, 게다가 여성스럽다고 표현되는 취미활동을 하는 남자들을 이상하게 바라보는 여성들, 게다가 나는 딸에게 늘 당당하게 감정에 솔직해야 한다고 하면서도 아이가 남자아이에게 먼저 좋아한다고 고백했다고 하자 '여자가?' 하면 속으로 생각했다.

엄마의 인내하던 모습은 나에게 많은 가르침을 주었지만 동시에 시대의 변화 속에 넘기 힘든 허들이 되어 내 앞에 놓여있다. 아니 어쩌면 스스로 가져다 놓았는지도 모른다. 내 딸이 성인 되었을 때는 그 허들이 처음 고백하던 용기로 스스로 뻥 치워버리길 바란다.

3 _ 안녕하세요? 기사님.

결혼과 동시에 작별한 것이 몇 가지 있다. 가장 큰 변화 중 하나를 꼽자면 단연 '자동차'다. 미혼 시절 직장에 함께 다니던 차는 결혼을 계기로 사라졌다. 집을 장만하느라 대출도 많았고 대학 시절 먼 학교에 다니며 단련된 통학 노하우가 대중교통을 잘 이용하면 된다는 생각을 갖게 했다.

하지만 아이가 태어나고서부터 고민에 빠지게 했다. 무거운 짐을 들고 아이와 함께 버스를 타는 일은 무슨 전투를 치르는 것처럼 진땀이 나기도 했고 시간에 쫓긴 기사들이 더러 난폭하게 운전하기도 했다. 결국 가까운 거리는 택시에 많이 의존하게 되었는데 이 또한 쉽지 않았었다.

지금도 가끔 생각나는 아주 큰 사건이 있었다. 아이가 세 살 남짓 되던 해, 나는 그날 '인생 될 대로 돼라.'하는 기사님을 만난 것 같았다.

아이와 단둘이 짐을 싣고 택시를 탔다. 비교적 가까운 거리의 시외버스터미널을 가는 것이었지만 잘못 하차하면 횡단보도를 건너야 했다. 아침부터 시댁으로 나서는 길을 위해 이것저것 준비하여 짐도 많았고 아이를 데리고 건널목을 건너는 일도 힘들게 생각되었다. 그래서 기사님께 좌회전해서 버스터미널 바로 앞에 세워달라고 했다.

그런데 기사님이 좌회전하지 않고 직진하는 것이었다. 직진하면 횡단보도를 건너야 해서 마음이 급해졌다.

"기사님! 좌회전해 주세요!"

결국 기사님은 급하게 좌회전했고 직진을 못 하게 한 것에 화가 난 것인지, 좀 큰소리를 낸 것에 기분이 상했는지 거친 소리를 하기 시작했다. 나는 너무 어이가 없었고 게다가 돌아가더라도 내가 돈을 다 지불하는 것이 아닌가?

아이 앞에서 그런 말씀하시는 것 아니라고 했더니 기사는 내려서 나에게 대놓고 욕을 해대기 시작했다. 남성의 힘을 앞세워 폭력성을 보이는 태도는 우리나라에서는 흔한 광경이기도 하다. 하지만 예상치 못한 상황이고 어린 딸이 있어 더 당황할 수밖에 없었다. 그날의 일은 우리 가족의 영원한 트라우마가 되었다.

가끔 영화에서 택시 기사인 척하고 나쁜 일을 하는 범죄자가 나오는 영화를 보면서 그때 일을 떠올린다. 요즈음은 '여성 안심귀가 택시'나 콜택시 번호를 가족에게 알리는 알림 서비스 등 여러 가지 제도적 장치들이 생겨서 조금씩 안심이 되어간다.

　얼마 전

　"안녕하세요."

　"엄마, 여자 기사님이야. 처음 봐."

　"그러네. 안녕하세요? 기사님."

　아이가 택시를 타고 환하게 웃는 모습이 너무 좋았다. 딸 생각이 난다는 기사님의 친절한 반응에 괜스레 기분이 좋아 이런저런 이야기를 하다가 얼마 전 TV 뉴스에서 본 '보호격벽'에 대해 이야기했다. 설치 시 정부에서 일부 지원금을 해준다고 한 그것이다. 기사님은 여자로서 이런저런 안 좋은 일을 겪었다며 좀 도움이 된다는 이야기를 해주셔서 듣다가 하차했다.

　집에 와서 아이와 직업에 대한 이야기를 안 할 수가 없었다.

　"기사님은 택시든, 시내버스든, 시외버스든 우리의 생명을 책임지는 분들인데 어떻게 나쁜 말을 하고 해코지를 할 수가 있을까? 우리는 언제나 친절하게 인사하자."

"응. 근데 그때 막 이상한 말하고 아빠랑 싸운 그런 사람은 싫어."

아이의 사라지지 않은 오래된 기억을 생각하다가 얼마 전에 만난 친절한 여성 버스 기사님도 생각났다. 탈 때 먼저 '안녕하세요.' 인사를 해주니 나도 모르게 내릴 때 안 하던 인사를 할 용기가 생겨 '감사합니다.' 하고 내렸던…… 짧다면 짧고 길다면 긴 내 인생에서 가장 친절한 기사님 두 분이 모두 여성이고 최악의 기사는 남자라는 것이 신기했다.

인류의 기나긴 역사 속에서 남자들만이 주를 이루던 직업들 속에서 언제나 최초 여성들이 있었을 것이다. 어쩌면 처음이기에 길을 만들어야 한다는 생각에 더 열심히 할 수도 있었겠지만 난 그렇게 생각하지 않는다. 예전에 '솥뚜껑 운전'이나 '김여사 운전'이라는 신조어를 만들어 여성 운전자들을 빈번하게 비하하던 미혼 시절에도 그렇고 현재에도 운전을 잘 못하는 남자들도 많이 봤다. 어지러웠던 한국의 역사 속에서 해방이라는 좋은 계기가 왔을 때 여자들에게도 똑같은 기회를 주고 평등하게 평가해 주었다면 어땠을까? 아마도 우리나라의 해방 후 여성의 모습은 많이 달라졌을 것이다.

결혼 10년 차인 나는 아직도 요리는 젬병이지만 남편보다 못질이나 페인팅 등 목공 일은 더 자신 있다. 여성이 가정이나 사회 속에서 계속해 온 일들, 즉 주방일이나 서비스업만 치중하여 일자리를 알선하거나 준비된 인재조차도 여성이라고 뽑지 않는 행위는 비합리적이다.

사회발전 속에서 많은 변화가 있지만 여성의 인식이 발전한 만큼 과연 남성의 인식도 바뀌었을까? 내 생각에는 아직 멀었다고 본다. 부부 중 여성이 돈을 많이 벌면 이혼율이 높은 기사와 여성이기 때문에 독립운동가로서 제대로 된 평가를 받지 못하고 잘 알려지지 않은 이야기를 기사로 접하고 내린 나만의 결론이다. 게다가 태어날 때 정해지는 성별로 인해 배움과 상관없이 원하는 일을 선택할 때 어려움을 겪을 때가 종종 있다는 것을 우리는 알고 있다.

하지만 그렇다고 현실과 좋은 사회로 발전을 역행하는 일부 남성들을 비난하기만 한다면 안 된다고 생각한다. 그래서 나는 변화하기로 결심했다. 모든 기사님을 대면할 때 여성이든 남성이든 이제는 먼저 인사한다. 아직은 남성이 더 많지만 함께 가는 것이기에!

"안녕하세요? 기사님."